Dessin ★ Bannister
Scénario ★ Nykko
Couleurs ★ Jaffré

Les Enfants d'ailleurs

Tome trois ★ Le Maître des Ombres

DUPUIS

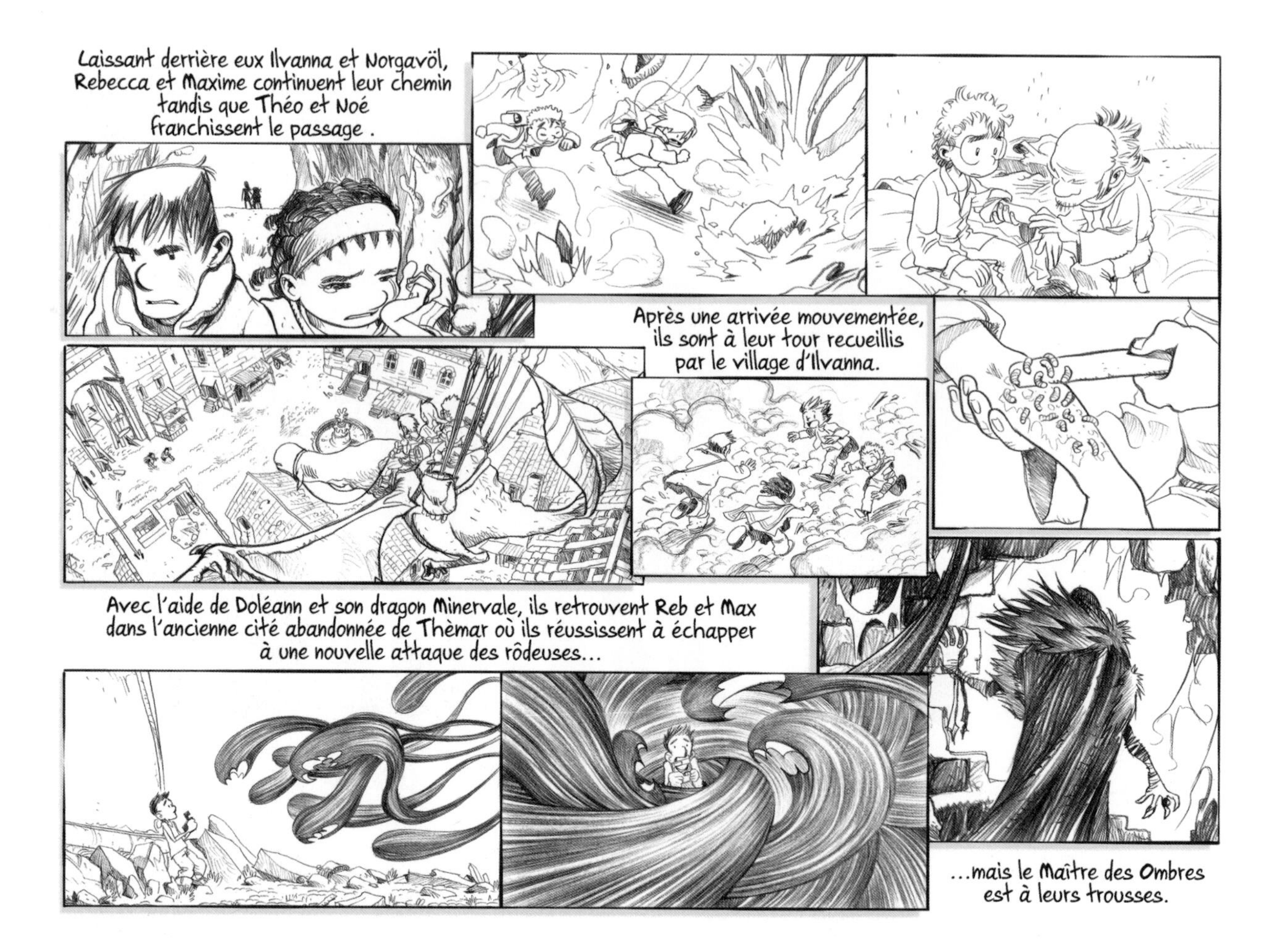

Nykko et Corentin, bravo pour avoir tenu bon jusque-là.
Laurence et Denis, félicitations pour nous avoir supportés au jour le jour.
Flora, merci pour tout ça aussi mais surtout pour les gâteaux.

Bannister

À ma femme Sabine et mes enfants, Léo et Noé.
À Andrée qui nous a quittés pour explorer l'autre monde.

Nykko

Merci beaucoup, Mathilde, d'être à mes côtés et pour ton aide sur les couleurs !

Jaffré

www.lesenfantsdailleurs.com

www.bannister.fr

www.suny2000.com

D.2011/0089/305 — R.10/2013.
ISBN 978-2-8001-5248-6

Imprimé en Belgique par Lesaffre.

www.dupuis.com

Héhé, si ma mère me voyait avec les cheveux si mal peignés.
Allo l'Espace, la Terre écoute !
Vous ne pouvez pas être sérieux deux minutes ?
Ne bougez plus !

Photooooo !
Hé !

Patience, ce n'est pas un numérique.
Montre, j'ai peur d'avoir bougé à cause de ce maudit piaf !

En plus, une brise m'a fait cligner de l'oeil.

Alors, c'est qui le plus beau ?
Tu riras moins quand cette photo sera mondialement connue.

Comment vas-tu faire, Ilvanna ? Tu n'as même plus de monture pour retourner auprès de Norgavöl.
Yé kar metta vor.
Hé mais c'est quoi, ça !?

Et tu te trouves drôle peut-être avec tes blagues de maternelle?
C'est vrai que tu as l'air un peu coincé.

Reb, faut la refaire parce que là, ça ne va pas du tout.
Plus tard, on doit parler !

2

S'il te plaît, cette photo est trop nulle !
On a un vrai problème. Je crois qu'Ilvanna veut rester avec nous.

Mais ce n'est pas possible !
Tu es sûre d'avoir bien compris ?

Yé kar metta vor !
Je crois que c'est clair...

Elle doit retourner dans son village.
A pied, il lui faudra plus de trois jours.
Sans oublier les Ombres qui sont partout.
Sérieusement, faut la refaire, la photo.

Elle vient avec nous !
Et comment fera-t-on quand nous rentrerons chez nous ?
Juste une !
Doleann ! Avec un peu de chance, on la recroisera et on pourra lui confier Ilvanna.

Elle nous a quand même abandonnés dans cette cité hantée.
Elle avait certainement une très bonne raison. Je suis sûr qu'on va la revoir.
Je le crois aussi.
Cette photo est ridicule.

Hé, quand tu auras fini de bouder, tu pourras peut-être venir nous donner un coup de main.
Ça va, j'arrive.

3

Tu es sûre de savoir piloter cette épave ?
J'ai eu mon niveau vert en optimiste.
Attendez-moi, je n'ai pas envie de mouiller mon pantalon !

Et c'est bien, niveau vert ?
C'est toujours mieux que niveau zéro !
Moi, je te fais confiance, Reb !
SPLASH !
Aaah !

Tu veux que je prenne une photo maintenant ?
Très drôle !

Vous ferez moins les malins quand on n'aura que des photos débiles à présenter à la presse.
Et pourquoi on ferait ça ?

Ben, pour passer dans les journaux télé, bien sûr ! On est les découvreurs d'un autre monde quand même !
Tu oublies le père Gab. Et lui n'a jamais eu l'intention de dévoiler sa...

Aaaah, une bête !
Y a une bête dans l'eau !!
PLITCH
PLITCH
PLOTCH
PLOTCH

Qu'est-ce qui lui prend ?
Je crois qu'il craque.

Allez, on s'en va.

4

Affalez
la voile,
matelot !

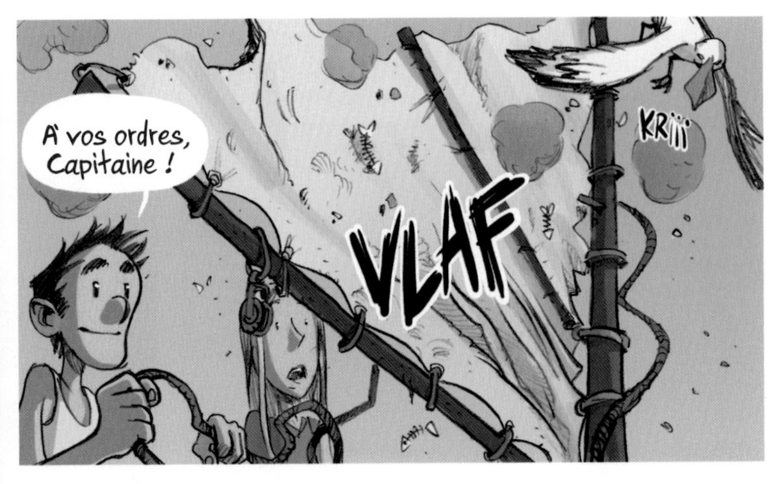
À vos ordres,
Capitaine !
KRiii
VLAF

Ça pue !
Ça pue !
KRiii
Ouah,
quelle
odeur !
Pouah !
Super,
on a hérité
du navire du
capitaine
Crado !

Tu ferais mieux
de nous remercier
de faire ton ménage,
capitaine Crado !
KRiiiii

Je crois qu'il n'est
pas très content
qu'on lui emprunte
son nid. Le mainate
devrait s'en méfier.

Je rêve,
tu as emporté
ces trucs ?
Je n'allais quand même pas
les abandonner dans un vieux
carton qui finira
à la poubelle.

Princess Wings, la demi-soeur de Scary Boy.
Minimum 60€ sur internet.

Super,
elle va nous
être vraiment
utile contre
le Maître
des Ombres.
Pfff...

5

Un jour, tu ne feras plus la différence entre toutes ces bêtises et la réalité.
Et notre aventure, elle est réelle ou pas ? Doleann, on l'a tous rêvée ?

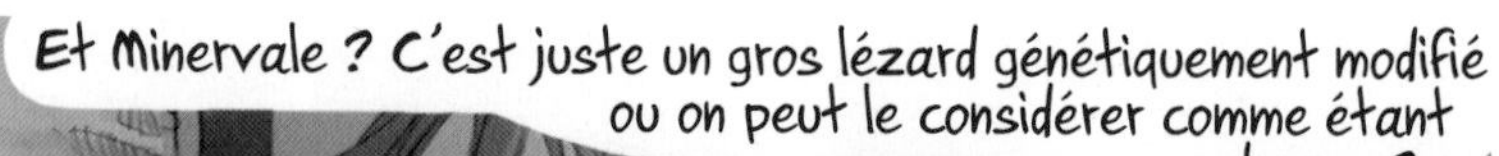
Et Minervale ? C'est juste un gros lézard génétiquement modifié ou on peut le considérer comme étant un dragon ?

On sera adultes bien assez tôt.

Nous n'avons pas été très malins. Personne n'a pensé à cueillir des fruits et refaire nos réserves d'eau.
Faut espérer que la traversée ne dure pas trop longtemps.

De toute façon, pour atteindre notre point de chute, le plus simple est de ne pas perdre de vue les rives du lac.
On pourra toujours accoster si le besoin s'en fait sentir.
Là !

Regardez ces monstres !
Oh mon Dieu, c'est horrible !
Danger ! Danger !

Danger !
Heureusement que nous avons choisi de traverser le lac.
Ouah, quelle mise à m...

Aaaah !!

6

C'était quoi ça ? Un rocher ?
Mes lunettes, j'ai perdu mes lunettes !

Accrochez-vous !
Aaahh !!
Mes lunettes !

CHTOK
Aïe !

Je les ai !
Super, maintenant, si tu pouvais harponner Moby Dick, on t'en serait tous reconnaissants !

Ne te penche pas, Max ! C'est dangereux !
Du calme ! Je crois qu'il est parti.

Parti pour mieux revenir. Peut-être même avec des copains !
Restons bien assis et tout se passera bien.

Si cette épave tient le coup.
Encore une nuit à ne pas fermer l'œil !

Franchement, qui a envie de dormir après une trouille pareille ?

7

KRIIK
KRII
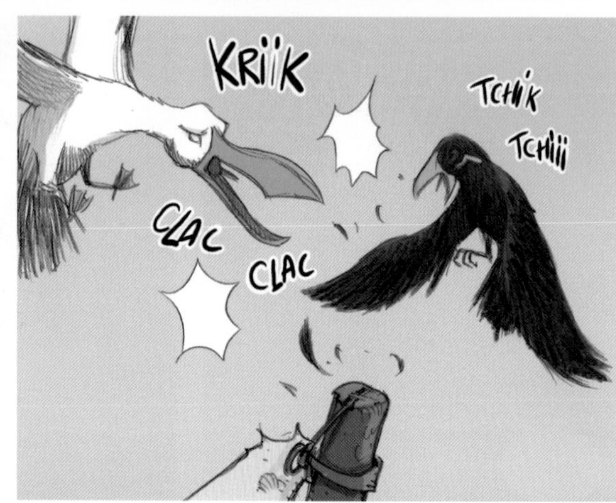
KRIIK
TCHIK
TCHIII
CLAC
CLAC

Qu'est-ce qui se passe ?
Le mainate ! Capitaine Crado l'attaque !

KRIII
Non, reviens !

Mais pourquoi il s'éloigne ? On peut le protéger, nous !

CLAC
CLAC
TCHIK

SHLAK
KRII
TSH...

NOON !

8

Je vais
le tuer !
Le tuer !!

Pourquoi
il a fait
ça !?
Arrête !

On n'est
pas seuls.

D'où ils sortent
ceux-là ?
Peu importe ! On va partir comme
si de rien n'était.
Calmement.

Vous croyez qu'ils vont
nous attaquer ?
En tout cas,
ils ne donnent pas
l'impression de vouloir
fêter notre arrivée.
Partons sans
plus attendre.

Tu sais où on est ?
On ne devrait pas
plutôt repartir
sur le voilier ?
Pour être honnête,
j'ai barré le voilier
au hasard.
De toute façon, il n'y avait pas assez
de vent. C'est le courant qui nous a entraînés.

D'après vous,
ces deux hommes
ressemblent à
des pêcheurs ?

Ça se
pourrait,
pourquoi ?
Parce que s'il y a
un village de pêcheurs
dans le coin,
on pourra dire
qu'on aura eu
une chance
phénoménale.

Là !

9

On ne va quand même pas traverser ce village. On pourrait le contourner.
Ça ne changerait pas grand-chose. Ils nous ont vus.
Maxime a raison. On avance.

Oh, qu'est-ce que ça pue !
Arrête ces simagrées. Tu pourrais les vexer.

Ils n'ont pas l'air agressifs. Juste étonnés.

Et curieux.

Je crois que j'ai la cote.
Ou alors ils tâtent la nourriture avant de la goûter.

Noé le boute-en-train est de retour. C'est comme ça que je te préfère finalement.
Ça alors, regardez !
10

Rebecca, tu ne peux pas me refuser une photo. Ces trucs sont exceptionnels.
Effrayants, tu veux dire ?
Vous vous rendez compte qu'on a traversé un lac qui abrite de tels monstres? Rien que d'y penser, j'en ai la chair de poule.

O.k.,mais une seule, et fais vite.
Deux, juste deux !

Reb !
On dirait que c'est pour toi.

Ces gens sont surprenants. Mais je crois qu'on ne devrait plus s'attarder. Je ne me sens pas très à l'aise.

Noé, on est repartis !
Une dernière !

Hé oh, ne me laissez pas avec les cannibales !

Décidément, tu vois des cannibales partout, toi !

11

Ils ne nous suivent pas.
Bon alors, il y a quoi dans ce panier ?
Du poisson séché.

Oh, tu parles d'un cadeau !

Parfait, on a besoin de nourriture. Par contre, faudrait penser à remplir nos gourdes d'eau.
On pourrait cueillir des fruits !

Mais lesquels ? Comment savoir ceux qui sont comestibles.
Désolé, mais moi, j'ai une urgence !

Je crois qu'on devrait tous faire ce qu'on a à faire avant de repartir.
Voilà bien la raison principale de mon dégoût pour le camping sauvage.
On n'apprend pas à faire un trou dans le sol dans le manuel des Castors Juniors ?

On ne s'éloigne pas trop et on se retrouve tous ici dans 10 minutes max.
On n'a pas de montre !
À moins d'être constipé, 10 minutes c'est largement suffisant. Hinhinhin.

12

Aaah sale bête !
Quand même ! On a bien failli partir sans toi !

Mauvaise rencontre ?
Tu l'as dit ! Un Pokémon croisé avec un Gremlin !

Comment j'aurais pu deviner que ce trou était son terrier ?
Sans commentaire.

13

On a réussi !

Beurk…
On va pouvoir rentrer chez nous !

Pouah, c'est quoi ce truc gluant ?
Hé mais ça chlingue là-dedans !
Ce n'est pas possible, on est maudits !

Je crois que je préfère encore l'odeur du village des pêcheurs.

VLOUF
Aaahh !

SPLURT

Vite, par ici !
PLORTCH
PLARTCH

Prends ma main, Ilvanna !

14

Il retourne dans la grotte.
Ça ne nous arrange pas ! Comment on va faire maintenant ?

CRKK
Je crois que j'ai une idée.

SHKRAK
POF
PLAF

Maxime !
Descendez tous !

Hé, Théo, je vais bien ! Merci de t'en être inquiété !
Super.
Vite, aidez-moi à ramasser toutes les branches mortes que vous trouverez.

Maxime, téo fak nall ?
Dépêchez-vous !

Vous ne croyez pas que c'est imprudent ? Il pourrait revenir.

Mais il a fondu les plombs, Théo !
Peut-être pas ! Aidons-le !

15

Ça devrait marcher…

Mais vous êtes tous devenus fous ?

Et si tu nous expliquais ton idée ?
Le feu !
On va enfumer la grotte pour faire partir cette créature.

Hum, tu sais que j'ai un briquet ?
Ah… trop tard !

Allez vite vous cacher dans l'arbre !

Mais et toi ?
Je vous rejoins dès que le feu aura bien pris.

Viens, maintenant !

Théo ! Dépêche-toi !

Parce que vous croyez que ça va suffire pour faire fuir ce monstre ? Il n'y a que Ripley qui pourrait en venir à bout !
Qui ?

16

GRULF
GRWWLLFF
GRWL

GRL GRWL

Géniale, Théo, ton idée était géniale !
WLF GL

Bravo !
Ripley l'aurait atomisé mais c'est pas mal !

On ferait bien de se dépêcher avant que la créature ne revienne.

Éteignons ce feu si on ne veut pas être nous-mêmes asphyxiés.

Attendez ! Mettez un tissu mouillé sur la bouche.

Je passe devant !
Noé, tu prends la deuxième torche. Mais fais attention à ne pas toucher la bave. Elle est très inflammable.

17

Si vous trouvez des oeufs de la créature, surtout ne vous penchez pas au-dessus.

Ils pourraient abriter un parasite capable de vous sauter au visage et de pondre une larve dans votre gorge.

Noé ?
Quoi ?
Tais-toi !

Oh non ! Ce monstre a détruit notre dernier espoir. On est prisonniers à jamais.

Écoutez ça ! "Il me traque et finira bien par trouver où je me cache.
Je suis la cause d'une tragédie et je ne peux, aujourd'hui, refuser d'en accepter les terrifiantes conséquences.

Je vais disparaître. Mais avant, à défaut de pouvoir corriger mes fautes, je me dois de détruire les passages.

Que le cinquième oeil unisse nos deux mondes." Et c'est signé Gabriel Delille.

Prenons tout ce qui pourrait nous être utile et retournons au village d'Ilvanna..
Attendez !

18

Regardez ! Ça ne vous rappelle rien ?
Heu, ça devrait ?

Ces symboles sont les mêmes que ceux gravés sur l'arbre qui m'avait fichu une trouille du diable dans le jardin du père Gab.

On les retrouve aussi sur le plancher de sa bibliothèque.

Je les ai aussi vus dans un cauchemar après avoir été mordu par le papillon.
Il y en a cinq et je sais, maintenant, qu'ils symbolisent chacun un passage.

Regardez, vous ne lui trouvez pas une forte ressemblance avec la créature qui hante cette grotte ?

Et là, c'est le village d'Ilvanna où se trouve le passage qui nous a projetés dans ce monde.

Et alors, le père Gab a écrit qu'il avait détruit les passages.

Ça, c'est ce qu'il veut faire croire. Regardez ce symbole qui ressemble à un oeil !

Vous ne comprenez donc pas ?
Rappelez-vous la dernière phrase du père Gab !

Prenez le maximum de trucs utiles et partons vite !

SPLURT
Aah !
KPLORTCH

19

Il ne nous a pas suivis.
Tout le monde va bien ?
J'ai eu ma dose de trouille pour aujourd'hui !
Dites, on ne devrait pas rester ici. Il y fait quand même très sombre.

Tu as raison, nous n'avons plus le mainate pour nous prévenir de la présence des Ombres.
Une arme pour chacune. Il y a quoi dans tes sacs, Noé ?
Des piles et des recharges photos. Désolé mais j'ai pris au hasard.
Moi, je n'ai pris que des livres.

J'ai suffisamment de fioles de bave pour faire plusieurs feux de camp si nécessaire et d'armes pour nous défendre.

On retourne au village d'Ilvanna.

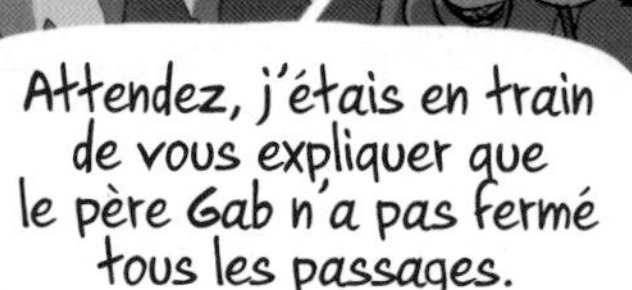
Attendez, j'étais en train de vous expliquer que le père Gab n'a pas fermé tous les passages.

Ce n'est pas ce qu'il disait dans le mot qu'il a laissé !
Faux ! Il concluait par le cinquième oeil, le cinquième symbole de la gravure, qui est un cinquième passage qu'il a gardé secret.
Rappelez-vous ces derniers mots: "Que le cinquième oeil unisse nos deux mondes."

Le père Gab n'a pas pu se résoudre à séparer nos deux univers.
Mais la carte ne montre rien.

Si je reproduis le tracé de la grotte, chaque passage existant pointait au centre des steppes d'Ouelldann. Par là !
Ça ne va pas être facile de trouver.

Dans mon cauchemar, il y avait quatre autres symboles. Je crois que ce sont des repères géographiques. J'ai déjà repéré le premier d'entre eux à la sortie du village des pêcheurs. Faites-moi confiance.

21

On pourrait s'arrêter pour la nuit. On n'y voit presque plus.

On s'arrêtera quand on aura trouvé le quatrième symbole.

On est tous fatigués, Max. On pourrait rater notre objectif à cause de la nuit.
D'accord.

On va faire un grand feu et des tours de garde. Et pensez à vérifier que vos piles sont bien chargées.
PLOF BLING TINK
KLINK
PLOF

Quand je pense que mes parents ont prévu de faire du trekking l'été prochain. Je vais saboter leur projet.

On va être obligés de manger ça ?
Il ne reste rien d'autre.
Pfff...

N'en mangez pas trop.
Ça va vous donner une soif d'enfer et nos gourdes sont presque vides.

WLOUF
22

Si on ne trouve pas le cinquième passage demain, on sera sans eau au milieu de nulle part.

Je reviens.
On te garde ta part.

Hé, mais c'est super bon, ce truc !

Comment on va faire pour Ilvanna ?
Je ne sais pas. Compter sur Doleann était une mauvaise idée.

Alors, on l'emmène avec nous ! Elle sera la preuve vivante de notre grande découverte !

Ce serait une très mauvaise idée. On n'en a pas parlé entre nous mais je crois qu'on ne devrait rien dire.
Kof kof... Quoi !?

Tu ne peux pas dire ça, Reb ! On doit faire part de notre aventure. On n'a pas vécu tout ça pour devenir des héros anonymes.
Reb a raison ! On ne doit rien dire. Ilvanna restera dans son monde. Mais je ne l'abandonnerai pas. Je resterai.

HRR

Prenez vos armes !

FRLLF
FRF

CLING
VLWOUF

23

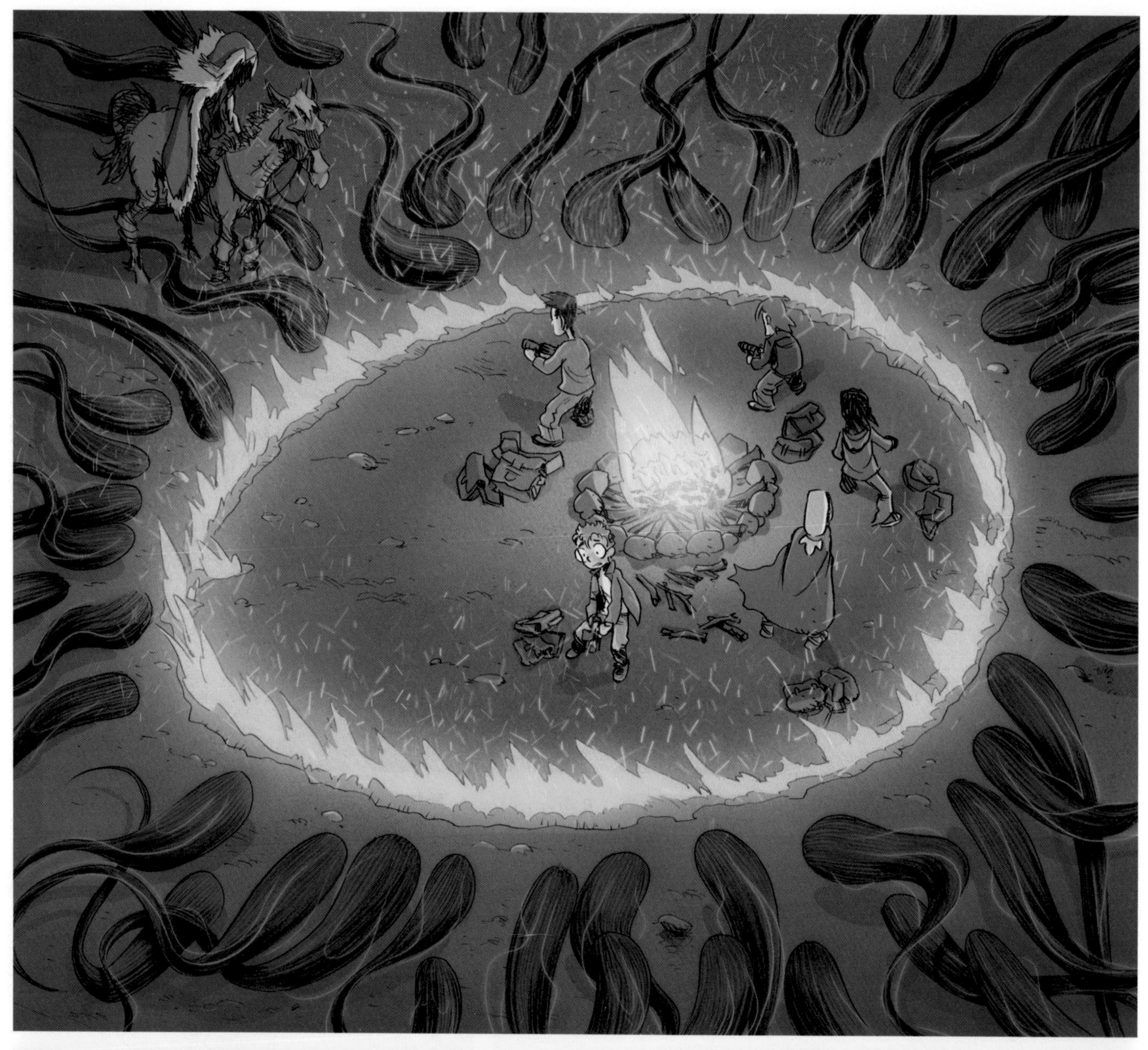

Théo, prends les fioles et assure-toi que le cercle de feu ne s'éteigne jamais.
Surtout, ne les gaspille pas, On va devoir tenir jusqu'au matin.
Oo...ok !
Les autres, placez-vous en cercle. Aucun angle mort.
Vous avez vu combien il y en a ?!
Faut d'abord se débarrasser de l'épouvantail sur son canasson !
25

Hahahaha !

Aussi vain que l'espoir qui vous anime ! Hahahaha !

Le feu ne l'arrêtera pas.

PLAK

Peut-être mourrez-vous sans souffrir si vous vous montrez conciliants.
Mais soyez heureux car l'un de vous va vivre.

Si quelqu'un a une idée, qu'il la dise vite.
Hé, qu'est-ce qui se passe ?
Le type s'approche.

Je veux la machine de vie !
De quoi il parle ?

Elle m'appartient !
26

27

Ouah !

Ça, c'est signé…

Este Doleann !
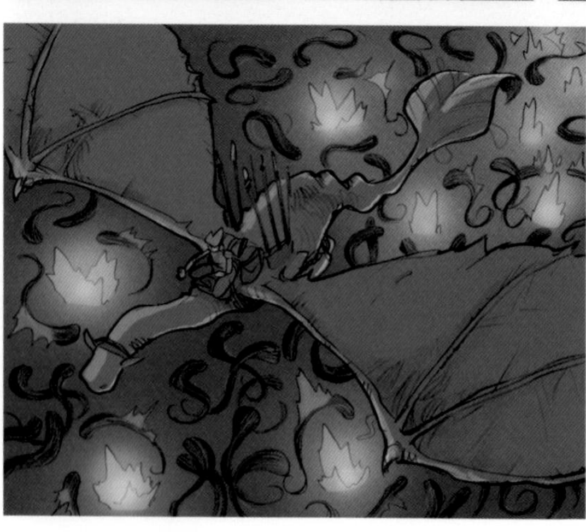

Hé ! On ne va pas lui laisser tout le travail !
On est sauvés !
28

Cette fille est incroyable. Elle ferait un malheur à Hollywood !
Il me faut des piles !
Dans le sac à mes pieds.

Doleann, guerrière des âges farouches !
Ce n'est pas le moment de délirer, Noé. On n'est pas encore sortis d'affaire.

Maintenant, il s'agit de tenir jusqu'au matin.

Fuyez, bande de paillassons ! Hahaha !

29

Max, réveille-toi, je crois qu'on a gagné.

Hein, non ça va, je ne dormais pas !
Regarde !

Théo, Noé, réveillez-vous ! C'est fini !

Hein ! Quoi ? Où ça ?
Fini ?

Ouah, c'est le plus beau lever de soleil de ma vie.
L...L...Là !!

Une Ombre !

Nep, este Palaak miè prere !

Regardez, l'Ombre a un visage !
Palaak...
On dirait un garçon.
Elle le connaît !

Qu'est-ce qu'elle fait ?
Hé, attention Ilvanna !
Empêchez-la d'approcher !

Mais arrêtez-la !
Palaak !

Ilvanna, non !!
Palaaaahh...

ILVANNAAA!

Pourquoi as-tu fait ça ?

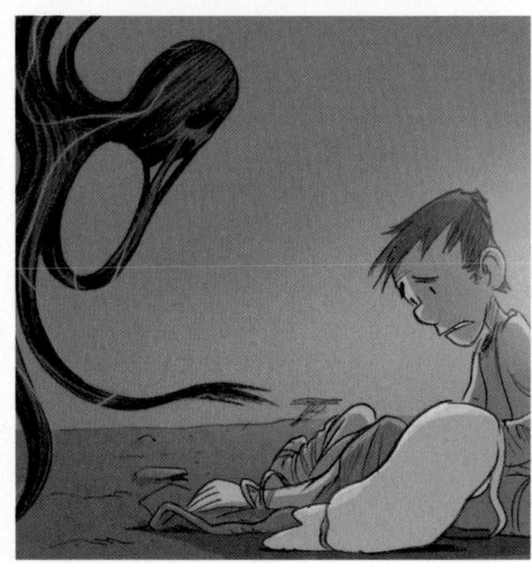

Pourquoi Ilvanna s'est approchée de... toi ?

Qui es-tu ?

31

Le passage !

Tes amis ont besoin de toi. Viens !
Depuis la traversée du lac Tirubion, je réfléchissais à la meilleure façon de leur expliquer mon choix.

J'avais décidé de retourner vivre auprès de Norgavöl et d'Ilvanna. Je pensais avoir plus ma place dans ce monde-ci que dans le mien.

Que dois-je faire maintenant ?

Il est où, ton passage ?
Vous voyez ce scintillement ? C'est le dernier repère !

J'en ai marre, je veux partir.

Je veux partiiiiir !

Ne le laissons pas seul !
Théo !

33

Je sais que j'ai raison. Il existe.

Et je vais pouvoir rentrer chez moi !

Le cinquième oeil !

Restez derrière moi.

Ça pourrait avoir été creusé par un serpent géant.

Ou des milliers d'araignées.

POF
Hé !
Théo avait raison !

S'il vous plaît, rentrons chez nous !

Ça va aller, Théo. Grâce à toi, on va tous pouvoir quitter ce monde.

Tu penses être capable de la faire marcher ?
Sans problème !

Et voilà !

Bien joué !
Ouais, bravo, Théo ! Tu es vraiment le meilleur !

Doleann, as-tu connu mon grand-père ?
¡¡¡¡¡¡¡¡¡¡RRRHH
Minervale !

On n'a pas le temps de se faire des adieux. Je dois ramener au plus vite Minervale auprès de ses petits.
Petits ?

Je vous ai abandonnés dans Thèmar pour permettre à Minervale de mettre bas dans un lieu sûr. Un tel évènement ne s'était plus déroulé depuis si longtemps.

La nouvelle de la naissance de deux dragons va bientôt se répandre et apportera de l'espoir à tous les opprimés.

Un jour, je lèverai une armée et combattrai de front le Maître des Ombres.

Mais cette guerre n'est pas la vôtre. Vivez heureux dans un monde en paix.
Doleann !

Adieu !

SHLAK

Théo ?
Je veux retrouver mes parents.

Toi, tu ne me fais plus peur.

Pouilleux !

Théo, attends-nous !

Allez, on y va tous ensemble !
Ouais, tous ensemble !

37

TOM LIBRAIRIE
TOM LIBRAIRIE
Marre de ce temps !

Gilles, je ne retrouve pas la carte de fidélité du gamin !
Forcément rangée avec les autres ! Cherche un peu !

Rhalala, on n'est pas aidé...

Hé, on dirait...

STEPHANIE YUE IN THE GIALLONGO CODE
MOOMIN
Daniel, regarde, ce sont les mômes qui ont été enlevés par Torgnole !
POC

Quoi ?!
HUGO
NANACHOU
Gniii...

Ça alors ! Tu as vu dans quel état ils sont ?
HUGO
Méée...

GENDARMERIE
Tu as raison !

Mais d'où ils viennent ?
38

La technologie de notre monde pourrait aider Doleann à gagner la guerre. Grâce aux médias, elle deviendrait une héroïne.
Peut-être aurait-on dû raconter la vérité au lieu d'inventer une histoire tirée par les cheveux.
Et nous des héros ! Parce que là, on va quand même passer pour des idiots !
Non, vous vous trompez !

Personne n'a empêché ta famille de se faire massacrer au Rwanda, Rebecca.

RECHERCHÉ
Comment pourrait-on leur faire confiance alors qu'ils étaient prêts à accuser un innocent de nous avoir enlevés ?

Si vous voulez bien me suivre, messieurs dames.
Ils vous attendent.

RECHERCHÉ
Les enfants, vos parents viennent vous chercher.

COMMANDO
GAS-OIL

39

Je vais vous laisser quelques minutes entre vous.
Rebecca !
Oh, ma grande, nous avons eu si peur !
Maman, papa !
Mon petit chéri !
Oh, mon petit ange !

Vos enfants ont innocenté notre suspect. Je vais annuler l'avis de recherche.
RECHERCHÉ

Nous les réinterrogerons demain pour qu'ils éclaircissent quelques points obscurs. En attendant, je crois qu'ils ont besoin de vous !

Mon fils, je suis sûr que tu as été entraîné malgré toi.
Mais non, maman.
Avec maman, on a décidé que tu n'aurais plus le droit de regarder n'importe quels films. Tu es trop influençable.
D'accord, papa !

40

J'espère que toute cette histoire te servira de leçon à l'avenir.
Promis !

Mama...

Sale petit voyou !
SHLAC!

CHTOK

Je te promets que tu vas me payer ça !

Maxime !

Salut Reb, tu es une fille géniale !

À bientôt, les gars !
N'y compte pas trop !

N'oubliez jamais Ilvanna !
VLAM!

41

Penurie de baby-sitters
dans le canton de Perrec.
Les disparus de Perrec :
parce qu'ils voulaient jouer
fragés, quatre enfants
pendant quatre jours.
Faits divers 17

quatre jours.
L'avis de recherche a été levé concernant le suspect de cette affaire, Louis Dubreuil, plus connu sous le sobriquet de Torgnole. Le capitaine de gendarmerie, Emile Martin, qui a reçu les félicitations du préfet, avoue que les explications des enfants n'ont pas aidé à éclaircir toute cette affaire. Il s'étonne notamment qu'ils aient pu rester cachés pendant 4 jours dans la grotte marine dite du Diable au prétexte qu'ils voulaient vivre comme des naufragés. Rappelons à nos lecteurs que la grotte du Diable avait été précédemment fouillée par des maîtres chiens qui n'avaient alors décelé aucune présence. Pour éviter de nouveaux incidents, le Conseil Général s'est dit favorable à la condamnation de ce
Théo Iedroit (haut gauche),
Maxime TIVELLE (bas gauche),
Noé VILLON (bas droite)
et Rebecca DELILLE (ci-dessus),
les rescapés de la grotte du Diable.

FISH & CHIPS
AKER

TOOL

Ça ne peut pas finir comme ça !

Je dois y retourner...

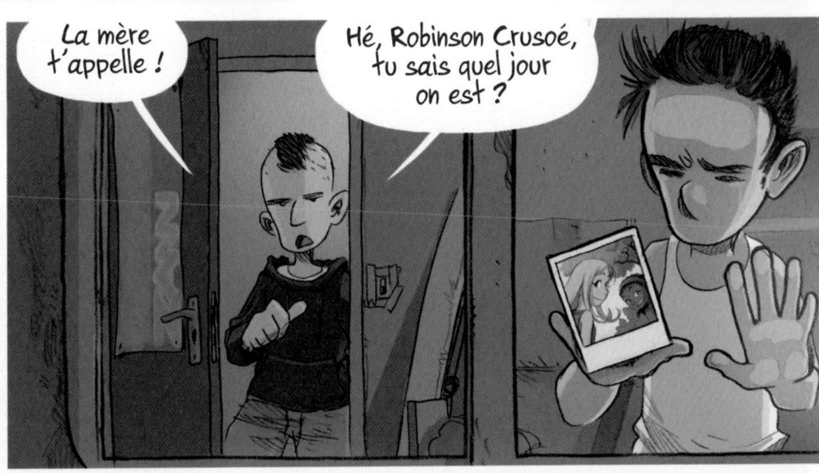
La mère t'appelle !
Hé, Robinson Crusoé, tu sais quel jour on est ?

Vendredi ! Hinhinhin...

44

Bannister – Nykko – Jaffré
Fin du premier cycle.

OWANN KHRON